Magie sur glace

Des amies pour la vie

L'auteur

Linda Chapman vit dans le Leicestershire, en Angle-terre, avec sa famille et ses deux chiens. Quand elle n'écrit pas, elle s'occupe de ses trois enfants, lit, monte à cheval et adore parler de son métier d'écrivain.

Site Internet de l'auteur : www.lindachapman.co.uk

Dans la même collection

Linda Chapman

Magie sur glace

Des amies pour la vie

Traduit de l'anglais par Christine Bouchareine

POCKET JEUNESSE

Titre original:
Skating School – Violet Skate Friends

Publié pour la première fois en 2010 par Puffin Books,
département de Penguin Books, Ltd, Londres.

*À Michele et Jessica Holland pour tous leurs fabuleux
conseils sur le patinage et pour leur relecture. Merci!
S'il reste des erreurs, j'en suis la seule responsable!*

Text copyright © Linda Chapman, 2010.
Illustrations copyright © Nellie Ryan, 2010.
2012, éditions Pocket Jeunesse, département d'Univers Poche,
pour la traduction et la présente édition.

ISBN 978-2-266-21810-8

Académie
de Patinage magique
de Mme Excelle

FÉES DU GIVRE

MÉLANIE   ANNA   MATHILDA   ALICE

CHOUETTES DES NEIGES

AMANDA ZOÉ ISA TANIA OLMA

RENARDS BLEUS

CAMILLE TESS CLARA HÉLÈNE ÉMILIE

Au Royaume des Glaces...

Tout semblait normal. Un épais tapis de neige recouvrait la campagne et les champs, les villages et les hameaux. Les lacs gelés luisaient sous les faibles rayons du soleil alors qu'au loin le brouillard enveloppait les sommets déchiquetés des montagnes. Des rouges-gorges argentés sautillaient d'une branche à l'autre et, sous les arbres, des renardeaux à la douce fourrure blanche se roulaient dans la neige en chahutant.

Pourtant les sylphes qui peuplaient ce pays

étaient inquiets. L'une des montagnes venait de changer de forme. Un animal mystérieux s'était lové autour d'un pic, ses ailes repliées. Ses flancs couverts d'écailles rouges se soulevaient et s'abaissaient au rythme de sa respiration et la vapeur qui sortait de ses énormes narines formait d'épais nuages. Tout autour, la neige et la glace fondaient.

Mme Excelle, la directrice de l'Académie de Patinage magique, jetait des regards inquiets par la fenêtre de son bureau : les sylphes des Glaces n'avaient plus beaucoup de temps devant eux.

Dans le parc en dessous, quatorze fillettes dévalaient les pentes en luge et se jetaient des boules de neige. Mme Excelle espérait que l'une d'elles pourrait sauver le pays magique : celle qui serait élue princesse des Glaces.

Elle fronça les sourcils. Laquelle serait-ce ? Toute la question était là !

1

Les trois amies

— Tu es prête ? demanda Mélanie.

Émilie s'assit sur la luge et rentra les mèches châtain clair qui s'échappaient de son bonnet en polaire.

— Oui !

— Et toi, Anna ?

— Une seconde !

Anna posa sa luge de l'autre côté d'Émilie,

remit son écharpe à l'intérieur de son col et rejeta sa longue natte blonde dans son dos.

Pendant ce temps, les yeux bleus d'Émilie balayaient la pente scintillante. De l'autre côté de la pelouse couverte de neige se dressait un manoir en pierre grise aux fenêtres bordées de glaçons. Son cœur se gonfla de bonheur. L'Académie de Patinage magique ! Il y avait déjà une semaine qu'Émilie avait été enlevée à sa petite vie tranquille pour se retrouver sur le lac gelé qui s'étalait devant l'école, au Royaume des Glaces.

Elle avait mis un moment à comprendre qu'elle ne rêvait pas. Elle se revoyait encore debout avec les autres à écouter le discours de Mme Excelle. La directrice leur avait annoncé que, si elles le désiraient, elles pouvaient rester six semaines dans cette école magique pour tout apprendre sur ce pays et perfectionner leurs techniques de patinage sur la glace. De plus, à la fin de leur séjour, l'une d'entre elles serait élue princesse des Glaces et devrait alors aider les sylphes. Mme Excelle ne leur avait pas expliqué de quelle façon, mais elle leur avait promis que si l'élue réussissait sa mission, son vœu le plus cher serait exaucé.

Dès qu'elle avait compris que le temps allait cesser de s'écouler dans le monde des humains et qu'à la maison personne ne souffrirait de son absence, Émilie avait décidé de rester. Dire qu'elle se trouvait dans un pays magique, qu'elle vivait dans cette fabuleuse pension où elle pourrait patiner tous les jours, avoir de nouvelles amies et faire des promenades en traîneau ou du ski de fond! Tout cela semblait trop beau pour être vrai.

Il y avait maintenant une semaine qu'Émilie était dans cette école. Même si sa famille lui manquait un peu, elle adorait sa vie au Royaume des

Glaces. Surtout que cela lui avait permis de se faire deux grandes copines : Anna et Mélanie.

— J'y suis presque ! cria Anna à perdre haleine. Tu es sûre que ce n'est pas dangereux, Mélanie ? On ne risque pas de s'écraser contre un arbre ? Ça descend à pic !

— Tout se passera bien !

— On devrait peut-être partir d'un peu plus bas ? Ce serait plus prudent et…

— Non, non et non ! la coupa Mélanie, les yeux brillants. Allez ! Celle qui va le plus loin a gagné !

— Mais…

— À vos marques… Prêt… Partez ! cria Mélanie sans l'écouter.

Les trois luges glissèrent lentement dans la pente avant de dévaler les bosses de plus en plus vite. Émilie essaya de freiner pour éviter un buisson de houx mais c'était trop tard : le patin se prit dans les branches basses et, stoppée en pleine course, elle fut éjectée de la luge. Waouh ! fit-elle en s'étalant à plat ventre dans la neige.

Elle se releva en gloussant. Sa veste et ses gants étaient couverts de neige, elle avait le visage trempé et glacé, mais elle s'en moquait. Elle chercha les autres des yeux et vit qu'Anna était tombée, elle aussi. Elle avait perdu son bonnet dans sa chute et riait aux éclats.

— Bravo, Émilie, tu m'as battue !

— Vous êtes nulles! leur cria Mélanie, qui avait glissé jusqu'au bas de la pente. C'est moi qui ai gagné!

Émilie attrapa une poignée de neige et la lui jeta à la figure. Anna s'empressa de l'imiter. Mélanie riposta en poussant des hurlements. Quand elles s'arrêtèrent, elles étaient couvertes de neige, mais elles avaient les joues rouges et les yeux brillants d'excitation.

La cloche retentit, signalant la fin de la récréation de midi.

— Venez vite! s'écria Anna. C'est le cours de patinage. Il ne faut pas arriver en retard.

Tirant leur luge derrière elles, elles partirent en courant vers l'école.

La patinoire où elles prenaient leurs cours était un des endroits préférés d'Émilie. Elle était recouverte d'un dôme en verre à travers lequel on voyait les étoiles, la nuit. Trois fois par jour, des centaines de Fées du givre lissaient la glace pour que la piste glisse toujours à la perfection.

Ces Fées minuscules s'occupaient de l'entretien de l'école, nettoyaient les vêtements des pensionnaires et préparaient les repas. Elles avaient des petites ailes transparentes et scintillantes et des cheveux vaporeux. Et elles parlaient d'une voix aiguë qu'aucune des filles ne comprenait. Émilie les adorait et elles avaient l'air de l'apprécier, elles aussi. D'ailleurs, trois d'entre elles vinrent se percher sur son épaule alors qu'elle se dirigeait vers le vestiaire sur le bord de la patinoire.

Chaque fille possédait son propre casier dans lequel elle rangeait ses patins et des vêtements chauds.

Émilie, Mélanie et Anna n'avaient pas fini de lacer leurs bottines que Mathilda et Alice, les deux dernières occupantes de leur dortoir, les rejoignaient. Mathilda était une grande fille mince à la peau et aux cheveux noirs, alors qu'Alice était une petite blonde au teint très clair.

— Salut! leur lança Mathilda en se laissant tomber sur le banc à côté d'elles. Qu'est-ce que vous avez fait de beau aujourd'hui?

— Une balade en traîneau. C'était génial! répondit Anna. Et vous?

— Nous sommes allées au chenil voir les bébés huskies.

— Ils sont trop mignons! s'écria Alice, tout attendrie.

— Tu trouves tous les animaux adorables, la taquina Mélanie. Je parie que tu te pâmerais même devant des insectes invisibles!

— C'est vrai! gloussa Alice. J'en ai une dizaine à la maison.

— Ainsi que deux petits rongeurs, un cochon d'Inde, deux chats, un chien et un hérisson qui vit dehors mais que tu nourris, enchaîna Émilie, qui connaissait tout des animaux d'Alice. En fait, elle n'ignorait rien de la vie de ses amies. Elles avaient beaucoup parlé durant la semaine précédente!

Émilie avait ainsi appris que Mathilda était une championne de gymnastique, qu'elle avait deux frères et deux sœurs. Anna était fille unique, patinait depuis l'âge de trois ans et avait bien l'intention de participer aux jeux Olympiques. Mélanie n'avait commencé que deux ans auparavant, mais elle s'était révélée si douée qu'elle prenait désormais des cours avec un entraîneur particulier. Elle avait un grand frère et un poisson rouge nommé Scooby Doo.

Émilie regarda ses quatre amies, toutes si différentes. Le plus génial, c'est qu'elles s'entendaient à merveille ! La semaine précédente, elle dormait encore dans le dortoir des Renards bleus, mais elle n'avait sympathisé avec aucune des autres filles. Et elle avait sauté de joie quand Mme Excelle lui avait permis de s'installer dans celui des Fées du givre.

— Si on allait s'échauffer ? proposa Anna en se levant.

— Vous croyez qu'on va nous parler de la compétition de cette semaine ? demanda Mélanie alors qu'elles se dirigeaient vers la piste.

— Et qu'on nous dira la couleur des patins à gagner? ajouta Mathilda.

Émilie sentit un frisson d'impatience la parcourir. Bien qu'elle soit parmi les patineuses les moins expérimentées de l'école, la veille, elle avait remporté la première épreuve. On leur avait demandé d'inventer une chorégraphie et d'y mettre tout leur cœur. Le moment où elle avait gagné la compétition et reçu les magnifiques patins blancs avait été l'un des plus beaux de sa vie.

— Je me demande ce qu'il faudra faire, cette fois-ci, murmura Anna.

Émilie se frotta les bras. Elle avait hâte de le savoir!

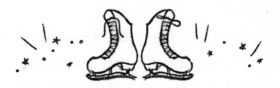

2

L'annonce

Une jolie brune en tunique rouge faisait ses étirements près de l'entrée tout en parlant d'une voix forte afin que tout le monde l'entende.

— J'ai fait un triple boucle piqué suivi d'une pirouette sautée allongée, ce matin! se vantait-elle d'un ton supérieur. Et Mme Excelle m'a dit que c'était ce qu'elle avait vu de mieux depuis que nous avons commencé. C'est normal, je suis la plus forte !

— … et la plus grande frimeuse de l'école, chuchota Mélanie à Émilie, qui pouffa.

En fait, Émilie s'entendait bien avec la plupart des élèves, à l'exception de Camille. Tout avait commencé quand les deux filles s'étaient retrouvées dans le même dortoir, celui des Renards bleus. Dès qu'Émilie avait commencé à fréquenter Anna et Mélanie qui étaient dans celui des Fées du givre, Camille lui avait empoisonné la vie pour l'empêcher de les voir. Le fait qu'Émilie remporte la compétition n'avait rien arrangé, d'autant que Camille avait crié sur tous les toits qu'elle était faite pour gagner.

Après un dernier coup d'œil vers Camille qui évoluait déjà sur la piste, Émilie commença son échauffement. Comme elle faisait de la danse, elle était très souple, ce qui l'aidait beaucoup pour le patinage. Elle baissa et toucha le bout de son pied sans mal. Puis elle se redressa, posa son pied sur la barrière la jambe tendue.

— C'est dommage que tu sois moins douée une fois sur la glace! lui lança Camille en passant derrière elle.

Émilie prit une profonde inspiration, bien

décidée à ne pas se laisser faire. Elle patinait très bien. Elle l'avait prouvé en gagnant la compétition. Et si elle n'était pas aussi expérimentée que les autres, elle travaillait dur et savait qu'elle progressait de jour en jour.

Elle fit le tour de la piste, les bras tendus, la tête haute. Puis elle accéléra et exécuta quelques pirouettes et quelques sauts en attendant l'arrivée des professeurs. C'était M. Carvallio, un grand sylphe à la peau sombre, qui s'occupait du cours des débutantes, que suivaient Émilie, Mathilda et Isa, une fille très timide du dortoir des Chouettes des neiges. Mme Li assurait le niveau intermédiaire et Mme Excelle le cours avancé. Mélanie et Anna, qui appartenaient toutes les deux à ce dernier niveau, juraient que Mme Excelle était la meilleure entraîneuse qu'elles aient jamais eue.

Les trois professeurs s'avancèrent sur la glace.

Mme Excelle, vêtue de son éternelle robe marron, donna un coup de sifflet.

— Regroupez-vous, mesdemoiselles. Avant de commencer, je voudrais vous parler de notre prochaine compétition.

— Cool! s'écria Mélanie, qui pila devant Émilie en soulevant une gerbe de cristaux de glace.

— Mais auparavant, je tiens à vous mettre en garde. Si jamais vous allez patiner sur le lac derrière l'école, ne prenez pas la petite rivière qui s'enfonce dans les bois vers l'est. La glace y est fragile et il y a une grande crevasse. Mais toutes les autres rivières sont praticables. À présent, passons à l'épreuve suivante, dit-elle en considérant les visages tendus vers elle. Cette semaine, nous allons voir comment vous patinez à deux. Vous devrez nous présenter un programme de deux minutes qui raconte une histoire et choisir la musique et le thème. Nous avons hâte de découvrir comment vous travaillez en équipe.

Émilie trouvait cette idée géniale ! Elle échangea un regard excité avec Mélanie.

Zoé, une élève du dortoir des Chouettes des neiges, leva la main.

— On peut choisir sa partenaire ?

Mme Excelle secoua la tête.

— Nous avons tiré vos noms au sort. J'annoncerai les équipes à la fin du cours.

— De quelle couleur seront les patins cette semaine ? s'enquit Mathilda.

— Chacune des deux gagnantes recevra des patins violets. Maintenant, au travail. Pas de temps à perdre !

Et le cours commença.

Émilie faisait de son mieux. Elle réalisait maintenant des sauts et des pirouettes sans doute beaucoup moins difficiles que ceux du cours avancé, mais c'était merveilleux de pouvoir tournoyer et voler au-dessus de la glace.

Elle décrivit une spirale, une jambe levée, les bras et la tête courbés en arrière.

— Bravo, Émilie ! s'exclama M. Carvallio.

Émilie continua à glisser, rayonnante de

fierté. Elle se demanda qui serait sa partenaire et si elles pourraient gagner. Elle aurait bien aimé avoir des patins violets en plus des blancs.

Pendant que M. Carvallio s'occupait de Mathilda, Émilie contempla ses camarades qui s'exerçaient, seules ou avec un professeur.

« C'est drôle comme elles ont toutes un style différent ! » se dit-elle.

Mathilda n'avait peur de rien et tombait constamment : elle semblait oublier qu'elle était sur la glace et n'arrêtait pas de tenter des sauts et des pirouettes. Alice, elle, patinait sans effort, détendue. C'était tout le contraire d'Anna, toujours d'une grande élégance, qui prenait ce sport très au sérieux et travaillait dur. Quant à Amanda, elle patinait comme si le monde entier avait le regard rivé sur elle, en prenant des postures théâtrales, avec de grands gestes. Mais alors Mélanie…

Émilie sourit en voyant son amie prendre un élan fou et se jeter dans un double salchow suivi d'un double boucle piqué. Elle atterrit en titubant et se rattrapa de justesse. Cette boule d'énergie était vraiment très impressionnante à voir.

«Je me demande à quoi je ressemble quand je patine», songea-t-elle.

On lui avait dit qu'elle était très expressive. Elle espérait que c'était vrai. Elle aimait danser sur la glace et, dès que la musique l'emportait, elle oubliait le reste du monde. Cela lui plaisait encore plus que la danse classique, qu'elle adorait pourtant, parce qu'il s'y ajoutait des sensations de vitesse. Et quand elle sautait, elle avait réellement l'impression de s'envoler. Elle poussa un soupir de bonheur. Il n'existait rien de mieux que le patinage artistique !

— Allez, Émilie, l'encouragea M. Carvallio. Encore une spirale, s'il te plaît.

Elle ramena son attention sur son exercice et reprit de l'élan.

— J'ai hâte de savoir qui sera ma partenaire ! s'exclama Mélanie alors qu'elles retiraient leurs patins à la fin de la leçon.

Émilie sentit un petit pincement au cœur. Avec qui serait-elle ? Elle espérait se retrouver avec Mélanie ou Anna. Mais Mathilda ou Alice lui conviendraient aussi.

Une fois que les filles se furent changées, Mme Excelle les rassembla enfin.

— Voici la liste des équipes. Anna, tu danseras avec Alice...

Les deux filles échangèrent un regard ravi.

— ... Zoé, tu seras avec Isa et Mélanie avec Mathilda.

— Oui ! s'écrièrent-elles à l'unisson.

Et moi ? s'inquiéta Émilie.

— ... Camille avec Olivia, Hélène avec Tess, Tania avec Clara...

Émilie chercha fébrilement qui il restait. Son regard balaya ses camarades. Oh, non ! Tout mais pas ça !

— ... et Émilie avec Amanda, finit Mme Excelle en lui adressant un grand sourire.

3

Partenaires

Émilie eut l'impression que son cœur cessait de battre.

— Mais Émilie n'est qu'une débutante! protesta Amanda. Elle ne patine pas aussi bien que moi!

— C'est ce que vous pensez, rétorqua sèchement Mme Excelle. Et de toute façon, vous serez jugées sur votre travail d'équipe. Comme la semaine passée, vous ne serez pas notées sur la difficulté des figures. Nous voulons, une fois de plus, que vous patiniez avec tout votre cœur, mais en couple, cette fois.

Amanda pinça les lèvres. Mme Excelle frappa dans ses mains pour faire taire le murmure qui montait de la classe tandis que les couples se réunissaient.

— Les leçons de demain seront légèrement modifiées en raison de cette compétition. Nous vous laisserons la matinée pour mettre au point votre numéro avec votre partenaire. Bonne chance et n'oubliez pas qu'il s'agit d'un travail à deux.

Dès qu'elle s'éloigna, Anna et Mélanie se tournèrent vers Émilie, consternées.

— Oh, ma pauvre ! compatit Mélanie. Je te plains d'être avec Amanda !

Camille ricana en les entendant. Émilie avait le moral à zéro. Amanda était bien la dernière avec laquelle elle avait envie de faire équipe. Bon, à part Camille.

Mathilda s'approcha de Mélanie avec un grand sourire.

— Je suis tellement contente d'être avec toi !

— Moi aussi. Nous allons faire un super enchaînement !

Anna soupira en voyant la mine désolée d'Émilie.

— Oh, tu verras, je suis sûre que ça va bien se passer, lui dit-elle essayant de la réconforter.

Émilie regarda Amanda quitter la patinoire d'un pas rageur. Elle aurait bien aimé avoir son assurance !

Après la récréation de l'après-midi, elles eurent cours avec Mme Langlois, qui était chargée de leur enseigner l'histoire du Royaume des Glaces. La semaine précédente, elle leur avait décrit les créatures merveilleuses qui peuplaient ce pays, comme les lions des montagnes qui vivaient dans les grottes, les cerfs argentés et les renards des neiges.

Émilie adorait ces leçons. Elles se déroulaient dans une salle au plafond très haut et aux grandes fenêtres qui donnaient sur le paysage enneigé. Ce jour-là, cependant, elle avait du mal à être attentive. Elle n'arrêtait pas de regarder Amanda à la dérobée tandis que le professeur leur montrait des photos des monstres qui vivaient sous la glace et qui ressemblaient à des ours polaires géants. Oh! pourquoi fallait-il qu'elle ait cette peste comme partenaire?!

Mme Langlois arriva néanmoins à captiver son attention quand elle leur présenta un dragon des glaces. Il était si petit qu'il aurait pu tenir dans la main d'Émilie. Ses écailles étaient d'un bleu argenté et les ailes qu'il avait sur le dos étaient fines comme la peau. Émilie en avait déjà vu dans les boîtes à musique qui les accompagnaient pendant leurs évolutions sur la glace. Elle les adorait et soulevait souvent le couvercle pour leur dire bonjour et leur gratouiller la tête.

— Oh, qu'il est mignon ! s'exclama Alice. On peut le prendre ?

— Bien sûr. Les dragons des glaces sont très gentils, répondit Mme Langlois en le faisant circuler. Ils vivent normalement dans la forêt et font des nids comme les oiseaux. Ce sont des êtres qui aiment la compagnie, ils détestent rester seuls. Et ils adorent faire des blagues!

Quand ce fut le tour d'Émilie de le tenir, le dragon s'assit dans sa paume et la regarda de ses grands yeux qui brillaient comme des pierres précieuses. Puis il éternua et un nuage de cristaux de glace jaillit de ses narines. Émilie éclata de rire.

Anna se tourna vers leur professeur.

— C'est bizarre! Dans notre monde, les dragons n'existent pas et pourtant beaucoup d'histoires en parlent. On les décrit toujours comme des créatures énormes qui crachent le feu, pas la glace.

— Nous avons aussi des dragons de feu, répondit Mme Langlois et Émilie remarqua qu'elle jetait un regard anxieux par la fenêtre. Ils survolent parfois notre pays. Ce sont des créatures gigantesques, imprévisibles et têtues, pas très intelligentes, mais amicales en principe. Heureusement qu'ils ne s'arrêtent pas chez nous, parce que leur haleine brûlante fait fondre la glace et la neige, ce qui peut être très dangereux dans un pays comme le nôtre. Surtout qu'il est très difficile de les faire repartir une fois qu'ils se sont posés. Et quand ils s'endorment, c'est pour cent ans.

— J'aimerais tellement en voir un! s'exclama Mélanie, en prenant le petit dragon des glaces.

— Moi aussi, dit Mathilda.

— Peut-être que l'une d'entre vous aura un jour l'occasion d'en rencontrer un, répondit Mme Langlois d'un air mystérieux.

Émilie fronça les sourcils. Que voulait-elle dire? Une fois de plus, elle la surprit à regarder par la fenêtre, mais au même moment le petit dragon fit une galipette sur la main de Mélanie et toute la classe poussa un cri. Il s'assit et cracha un nouveau jet d'air glacé. Les filles éclatèrent de rire.

Mme Langlois le remit dans sa cage et demanda à ses élèves de le dessiner.

— Quel cours super, vous ne trouvez pas? s'exclama Émilie quand elles quittèrent la classe pour aller dîner.

— Super mortel, tu veux dire! marmonna Camille qui passait près d'elle. Il n'y a que toi pour s'intéresser à ces trucs sur les monstres des glaces et les dragons! À ta place, je patinerais au lieu de perdre mon temps à des bêtises pareilles!

Et de tourner les talons.

Anna la suivit des yeux en secouant la tête.

— Elle est impossible!

— Elle est dingue! opina Alice. Tout ce qu'on nous apprend sur ces créatures est passionnant!

— Vous avez remarqué l'air bizarre de Mme Langlois quand elle nous a parlé des dragons de feu? murmura Émilie. Et quand elle nous a répondu : «Peut-être que l'une d'entre vous aura l'occasion un jour d'en rencontrer un», qu'est-ce qu'elle voulait dire, à votre avis?

Une question la tracassait depuis un moment et elle se décida brusquement à la poser.

— Dites, vous ne croyez pas que la princesse des Glaces pourrait avoir affaire à un dragon de feu?

Elles la dévisagèrent avec effroi.

— Je n'avais pas pensé à ça, grommela Anna.

— C'est vrai que Mme Langlois avait une drôle de voix, remarqua Mathilda. Tu as peut-être raison, Émilie. La princesse des Glaces devra peut-être affronter un dragon de feu!

— Mais pour quoi faire? demanda Mélanie. Elles échangèrent des regards inquiets.

— J'espère qu'on le découvrira bientôt, murmura Émilie, de moins en moins rassurée. Oui, j'aimerais bien savoir ce que la princesse des Glaces va devoir faire.

— Et moi, j'aimerais bien savoir comment ils vont la choisir, déclara Anna. Vous croyez que ce sera la fille qui remportera le plus de compétitions?

— Ça paraîtrait logique, remarqua Mathilda.

— Dans ce cas, on a intérêt à se remettre vite au travail! s'exclama Mélanie.

Émilie regarda Amanda avec appréhension. Elle adorait le patin, pourtant, pour une fois, elle n'était pas pressée de s'entraîner, mais alors pas du tout!

Les quatre amies d'Émilie ne parlèrent que de leur programme pendant tout le dîner. Finalement, Anna se tourna vers elle.

— Vous avez réfléchi à ce que vous allez faire avec Amanda?

Émilie secoua la tête.

— Et vous?

— Nous avons choisi de raconter l'histoire d'un magicien qui donne vie à un jouet, répondit Anna.

— Ce sera génial! renchérit Alice. Anna sera le magicien et moi, la poupée.

— Au fait, si on allait choisir notre musique? proposa Anna et elle se leva de table aussitôt, suivie d'Alice.

Mélanie et Mathilda se levèrent à leur tour. Émilie vit Amanda traverser la salle et venir vers elle.

— Dis donc, je voulais te voir. J'ai réfléchi pour la compétition. Si tu fais ce que je te dis et si tu me laisses m'occuper de la chorégraphie, on pourra peut-être s'en sortir. On n'a qu'à se retrouver demain dans la salle de musique juste après le petit déjeuner, d'accord?

— D'ac… d'accord, bafouilla Émilie, un peu surprise par son ton autoritaire.

Amanda tourna les talons et s'éloigna à grands pas. Émilie la suivit des yeux, plus découragée que jamais. Elle se demanda ce qu'elle allait faire. Elle n'avait pas envie de monter toute seule au dortoir ni d'aller au foyer où elle risquait de tomber sur Amanda et Camille.

«J'ai trouvé! Je vais aller à la patinoire!»

L'endroit était désert, à part un groupe de Fées du givre qui époussetaient les gradins avec leurs ailes minuscules. Émilie en profita pour enfiler les beaux chaussons blancs aux lacets argentés qu'elle avait gagnés. Elle n'osait pas les mettre pendant les cours, de peur de passer pour une frimeuse devant les autres qui portaient de simples bottines.

Au-dessus de sa tête, le ciel noir était constellé d'étoiles. Dès qu'elle se mit à glisser sur la glace, elle se détendit. «Pousse et glisse... Pousse et glisse», se répétait-elle en veillant à maintenir son menton levé, ses épaules basses et ses bras écartés pour assurer son équilibre. Qu'importaient Amanda et la compétition, du moment qu'elle pouvait patiner! Elle se mit à faire des croisés et sursauta en entendant soudain des notes joyeuses envahir la patinoire.

Elle vit alors qu'une Fée du givre s'était approchée de la boîte à musique et qu'un petit dragon passait la tête sous le couvercle entrebâillé. Il avait choisi un morceau plein d'entrain. Émilie sourit. Incapable de résister, elle se mit à patiner en rythme.

La musique accéléra, Émilie fonça sur la glace et, emportée par son élan, exécuta un boucle piqué, les bras plaqués sur sa poitrine. Un bref instant, elle eut l'impression de voler. Elle atterrit parfaitement en écartant les bras et repartit à toute vitesse. Le rythme s'accrut encore. Elle s'élança dans les airs du pied droit, croisa les chevilles et tourna sur elle-même. Elle tituba un peu à l'atterrissage, sans tomber cependant, et s'arrêta en même temps que la musique, les bras levés au-dessus de la tête.

Elle entendit alors applaudir et se retourna. Les Fées du givre s'étaient toutes arrêtées de nettoyer pour la regarder et tapaient dans leurs petites mains tandis que le dragon hochait la tête en battant des ailes. Émilie s'avança vers eux et fit une révérence.

— Merci ! dit-elle avec un grand sourire alors que les petites Fées voletaient autour de son visage comme une nuée de papillons scintillants.

Elle les remerciait vraiment. Cet exercice lui avait fait le plus grand bien, comme si la glace avait absorbé tous ses soucis.

«D'accord, Amanda est une plaie, et alors? Je ne l'ai comme partenaire qu'une semaine et rien ne me force à passer mon temps avec elle en dehors de notre entraînement. Donc, pas question de me laisser démoraliser pour si peu. J'ai un tas d'amies et c'est tout ce qui compte.»

Toute ragaillardie, elle quitta la glace, retira ses patins et regagna son dortoir.

4

Premier entraînement

— Non, Émilie! Ce n'est pas comme ça! s'énerva Amanda, les mains sur les hanches. Tu ne tends pas assez la jambe. Et pense à garder le menton levé, ça fait dix fois que je te le dis!

Émilie inspira profondément. C'était le milieu de la matinée et Amanda la harcelait depuis qu'elles s'étaient retrouvées après le petit déjeuner. Elle avait bien du mal à rester aussi positive que la veille sur la glace.

Amanda lui avait d'abord annoncé qu'elles présenteraient un passage du *Lac des cygnes*. Amanda serait la belle princesse ensorcelée qui se transformait en cygne pendant le jour. Quant à Émilie, elle incarnerait le prince qui manquait de la tuer avant de tomber amoureux d'elle.

— Dans le rôle du prince, tu n'auras aucune figure difficile à réaliser, lui avait expliqué Amanda. Tu te contentes de m'admirer en tournant autour de moi.

— Mais je peux quand même faire quelques pirouettes et quelques sauts ? avait-elle protesté.

— Tu pourras peut-être faire une ou deux figures, on verra, avait grommelé Amanda. Tu connais les pirouettes assises ?

Émilie avait hoché la tête.

— Eh bien, on essaiera d'en intercaler une et peut-être, je dis bien peut-être, un boucle sauté. Oui, on peut imaginer que le prince saute de joie en voyant comme je danse bien. N'empêche que ton rôle consiste surtout à me regarder.

— Mais... avait-elle tenté de protester.

— Il est temps d'aller à la patinoire et de se

mettre au travail, l'avait aussitôt coupée Amanda d'un ton autoritaire.

Après lui avoir montré le début de sa chorégraphie, Amanda essayait à présent de lui expliquer ce qu'elle attendait d'elle.

— Bon, pendant que je danse, toi, tu dois décrire des cercles autour de moi.

Les bras tendus en arrière, tel un cygne, Amanda prit son élan avant de faire une pirouette cambrée et de repartir une jambe tendue derrière elle, les bras en arrière.

Le regard d'Émilie parcourut la patinoire où d'autres filles s'entraînaient. Mme Li et Mme Excelle les observaient depuis le bord de la piste. Anna et Alice s'exerçaient à sauter ensemble. Plus loin, Isa travaillait dur avec Zoé. Elles semblaient vraiment bien s'entendre. En revanche, on sentait des tiraillements entre Mélanie et Mathilda qui n'arrivaient pas à se mettre d'accord sur les pas.

— Non, Mathilda! protestait Mélanie. On a dit que tu faisais trois croisés, un virage, et non pas deux croisés et un simple flip.

— Mais je veux sauter! Pourquoi faut-il toujours faire ce que tu décides?

Émilie sursauta en entendant Amanda crier.

— Émilie, tu ne me regardes pas! hurlait-elle en fonçant vers elle. Là, tu dois venir vers moi et me prendre les mains. Ensuite, on patine ensemble, on s'écarte et on fait une pirouette. Allez, bouge-toi!

Avec un gros soupir, Émilie ramena son attention sur sa partenaire.

— Je ne sais pas comment tu arrives à supporter Amanda! s'exclama Anna alors qu'elle déjeunait avec Mélanie et Émilie.

Après leurs efforts de la matinée, elles venaient d'engloutir avec appétit de délicieuses pâtes au fromage et un succulent crumble aux pommes.

— Elle est tellement autoritaire! marmonna Mélanie. Et je n'ai pas l'impression qu'elle te laisse faire grand-chose dans votre programme. On ne voit qu'elle.

— Je sais, murmura Émilie. J'aurais tellement préféré être avec l'une d'entre vous.

— Moi aussi, j'aurais bien aimé être avec toi, soupira Mélanie. Mathilda n'est pas facile. Elle pinaille sur tout et même quand elle est enfin d'accord avec moi, elle n'en fait qu'à sa tête.

Émilie se retint de sourire : Mélanie avait les mêmes défauts.

— Alice et moi on ne s'entend pas trop mal, marmonna Anna. Le seul problème, c'est qu'elle n'a pas très envie de s'entraîner. Je voulais qu'on retourne à la patinoire après le déjeuner, mais elle a préféré aller voir les bébés huskies.

— Je suis sûre qu'elle s'y mettra sérieusement dans les jours qui viennent, lui dit Émilie pour la réconforter. C'est que nous avons eu une longue séance ce matin.

— Oui, et ça me ferait plaisir d'aller voir les chiots, moi aussi, avoua Mélanie. Qu'en pensez-vous ?

— Excellente idée ! dit Émilie.

Elles terminèrent leur repas et se dirigèrent vers le chenil. Les sylphes utilisaient des traîneaux tirés par des huskies quand ils ne voulaient pas circuler à skis ou en patins à glace. Ces chiens ressemblaient aux huskies du monde réel, sauf qu'ils avaient une fourrure mouchetée d'argent et que des petites étincelles multicolores jaillissaient sous leurs griffes quand ils couraient sur la neige ou sur la glace.

Dès qu'elles entrèrent dans le chenil, les chiots accoururent vers elle.

— Alors, comment vous les trouvez ? leur lança Mathilda, qui se trouvait déjà là avec Alice.

— Ils sont adorables ! répondit Mélanie en serrant tendrement l'un d'entre eux dans ses bras.

Alice poussa un soupir de bonheur.

— Si je pouvais passer tout mon temps ici ! Celui-ci, c'est Flocon et là, vous avez Max, Prince et Rosie, dit-elle en les montrant l'un après l'autre.

Émilie avait déjà oublié leurs noms, mais cela n'avait pas d'importance : elle les aimait tous.

Au bout d'un moment, Mélanie se lassa de les caresser et proposa une promenade en traîneau.

— Je préférerais retourner m'entraîner, répondit Émilie.

— Et si on allait plutôt le faire dehors? suggéra alors Mélanie.

— Avec plaisir, répondit Émilie, qui adorait patiner en plein air.

Anna les accompagnait aussi. Mais Alice préféra rester et Mathilda décida de l'imiter.

Les trois amies partirent donc chercher leurs patins. Derrière l'école se trouvait un lac dans lequel se jetaient trois rivières et des petits ruisseaux qui descendaient des montagnes.

— Il vaut mieux éviter celle-là, déclara Anna en montrant celle qui venait de l'est.

— Oui, c'est celle où il y a une crevasse, opina Émilie.

— Alors, on n'a qu'à prendre l'autre là-bas,

suggéra Mélanie, montrant la grande rivière qui se trouvait à l'opposé.

Les trois filles s'élancèrent. C'était merveilleux de patiner en pleine nature ! L'air glacial lui piquait les joues, mais Émilie s'en moquait. Au-dessus de sa tête, le ciel était d'un bleu myosotis. Sur la rive, elle vit chahuter une portée de renards polaires.

— Quel pays incroyable ! s'exclama-t-elle en contemplant les montagnes embrumées qui se dressaient dans le lointain. Comme j'aimerais le visiter !

— Moi aussi, s'écria Mélanie. J'aimerais tellement rencontrer les créatures fabuleuses dont Mme Langlois nous a parlé.

— Peut-être qu'on aura l'occasion de l'explorer dans les prochaines semaines. Je préférerais nettement ça à l'entraînement avec Amanda, ajouta Émilie en levant les yeux au ciel.

— Tu n'as plus que cinq jours à tenir, lui dit Anna. Après tu n'auras plus à la supporter.

— Espérons !

— Oh, arrêtez de parler de ça ! les rabroua Mélanie. Si on jouait plutôt à s'attraper. C'est toi le chat, Émilie ! lança-t-elle en lui touchant l'épaule.

Sur ces mots, elle détala à toute vitesse, suivie par Anna.

Émilie éclata de rire et se rua à leur poursuite, oubliant aussitôt la compétition et Amanda.

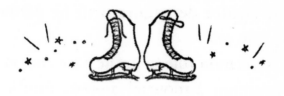

5

La chute

Les jours suivants passèrent comme dans un rêve. La plupart des filles s'entraînaient très sérieusement. Dès qu'elles avaient du temps libre, elles se précipitaient à la patinoire. La tension montait au fur et à mesure que la fin de la semaine approchait.

— Émilie, tu n'as vraiment pas l'allure d'un prince ! lui reprocha Amanda alors qu'elles s'exerçaient avant le petit déjeuner. Nous n'aurons aucune chance de gagner si tu ne patines pas mieux que ça !

— Mais mon rôle se limite à tourner en rond et je m'ennuie à mourir ! protesta Émilie. Si je faisais quelques sauts, je me sentirais peut-être plus dans la peau du personnage.

— Non, tu gâcheras tout en tombant. Alors je t'en prie, essaie au moins d'avoir l'air d'un prince amoureux de moi !

Émilie lui décocha un regard exaspéré, mais Amanda filait déjà sur la glace pour reprendre le passage où le cygne se transformait en princesse. Émilie poussa un soupir et s'aperçut alors qu'Anna patinait toute seule.

— Où est Alice ? s'étonna-t-elle.

— On ne travaillait pas depuis dix minutes qu'elle a décidé de retourner au chenil ! Je n'en peux plus. J'abandonne. Ça ne sert à rien que je m'entraîne sans elle !

«La pauvre! songea Émilie. Elle n'a vraiment pas de chance d'être tombée sur une partenaire si différente d'elle.»

Elle fut tirée de ses pensées par Mélanie et Mathilda qui recommençaient à se disputer.

— Nous ne devons pas nous écarter de ce que nous avons décidé, Mathilda! protestait Mélanie, hors d'elle.

— Mais arrête de me commander! répliqua Mathilda. Ce n'est pas parce que tu fais du patin depuis plus longtemps que moi que tu dois prendre toutes les décisions.

— Je ne veux pas te commander, je veux juste qu'on soit d'accord sur ce qu'on fait, sinon on n'arrivera à rien! Tu m'énerves, Mathilda!

— Tu t'es pas regardée!

Sur ces mots, Mathilda tourna les talons et s'éloigna sans se retourner.

— Bravo! marmonna Mélanie en la fusillant du regard, les mains sur les hanches.

Émilie entendit alors Amanda qui l'appelait de l'autre bout de la patinoire.

— Émilie! Viens ici!

Elle s'empressa de la rejoindre, mais elle avait l'esprit occupé par ce qui venait de se passer.

Au moment où elle devait sauter, la lame d'un de ses patins mordit dans la glace, elle battit des bras et tomba lourdement. Le choc lui coupa le souffle.

Mélanie se précipita vers elle.

— Ça va? demanda-t-elle en lui tendant une main pour l'aider à se relever.

Émilie hocha la tête. Elle était sonnée, mais elle ne s'était fait mal nulle part.

— T'es vraiment nulle, Émilie! explosa Amanda. J'y crois pas! T'es même pas capable de faire un petit saut de rien du tout! J'espère que tu feras mieux le jour de la compétition. Sinon, on aura l'air de deux idiotes…

— Amanda! la coupa sèchement Mélanie. Avant de l'enguirlander, tu ne crois pas que tu devrais t'inquiéter de savoir si elle ne s'est pas fait mal? Ta méchanceté finira par t'étouffer!

— Laisse tomber, Mélanie! dit Émilie, qui tentait de la calmer.

Elle voyait bien qu'elle était encore sous le coup de sa dispute avec Mathilda.

— Je ne suis pas méchante! protesta Amanda.

— Tu plaisantes! Tu es tout le temps sur le dos d'Émilie! Si elle n'était pas aussi gentille, il y a longtemps qu'elle t'aurait envoyée balader.

Mme Li se précipita vers elles.

— Tout va bien, mesdemoiselles?

— Oui, très bien, s'empressa de répondre Amanda avec un grand sourire. Émilie est tombée. Et Mélanie et moi, on venait voir si elle allait bien.

Mélanie et Émilie échangèrent un regard.

— Tu ne t'es pas fait mal, Émilie? s'inquiéta le professeur.

— Non, ça va. Merci, madame.

— Bien. De toute façon, cela suffit pour aujourd'hui, déclara Mme Li avant de donner un coup de sifflet pour signaler la fin de l'entraînement.

Amanda fusilla Émilie du regard. L'espace d'un instant, Émilie crut qu'elle allait lui parler, mais elle fit demi-tour et quitta la glace.

— Je ne sais pas comment tu fais pour la supporter ! dit une nouvelle fois Mélanie. Je lui ferai payer sa méchanceté envers toi.

— Comment ça ?

— Je ne sais pas encore, mais elle ne perd rien pour attendre.

Pendant les autres cours de la matinée, Mélanie et Mathilda s'ignorèrent. Anna n'adressait plus la parole à Alice qui ne sembla même pas s'en apercevoir. Elle était très inquiète : un des chiots huskies avait disparu. Il s'était sauvé pendant une promenade dans le parc. Les sylphes des Glaces qui surveillaient les chiens l'avaient cherché partout, hélas, en vain.

— Le pauvre Prince doit mourir de froid, chuchota-t-elle à ses amies pendant le cours de danse qui précédait le déjeuner. Il doit avoir très peur. Oh, qu'est-ce que je donnerais pour participer aux recherches au lieu d'être en cours !

— Nous irons pendant l'heure du repas, proposa Mathilda.

Anna sursauta.

— Attends, tu m'as promis qu'on s'entraînerait, lui rappela-t-elle.

— Mais c'est beaucoup plus important! s'exclama Alice.

Anna fronça les sourcils.

— Tu t'en fiches qu'on ait une compétition dans deux jours?

— Justement, ce n'est qu'une compétition!

— Qu'est-ce que tu veux dire?

— Eh bien, même si Mélanie a raison et qu'ils prennent la meilleure comme princesse des Glaces, la belle affaire? J'aimerais bien être choisie, mais tant pis si ça ne tombe pas sur moi. C'est beaucoup plus important qu'on retrouve ce chiot!

— Voyons, nous devons au moins essayer de gagner, Alice! protesta Anna.

Voyant Mme Brejnev tourner la tête, Émilie leur fit signe de se calmer. Elles se turent, contraintes et forcées, mais Émilie voyait bien qu'Anna était furieuse contre Alice. Et Alice n'avait pas l'air contente, non plus. Émilie se mordilla la lèvre. Quelle bêtise de se disputer ainsi! Elle aurait tellement voulu que ses amies s'entendent bien.

— J'ai trouvé! s'écria Mélanie alors qu'elles allaient déjeuner.

— Trouvé quoi? demanda Émilie.

— Le tour que je vais jouer à Amanda pour lui montrer ce que c'est d'être aussi horrible avec toi.

— Arrête, Mélanie, tu vas t'attirer des ennuis.

— Pas du tout. Et j'ai besoin de ton aide.

— Avant, je veux savoir ce que tu mijotes! précisa Émilie, car elle n'aimait pas les farces méchantes.

— Pas question! répondit Mélanie d'un ton taquin. Tu verras bien!

6

Piégée !

Mélanie refusa d'en dire plus sur le tour qu'elle réservait à Amanda. Mais dès que le déjeuner fut terminé, elle prit l'organisation en main.

— Anna, tu viens avec moi. Toi, Émilie, je te charge d'amener Amanda au vestiaire du gymnase dans un quart d'heure.

— Comment veux-tu que je fasse ?

Mélanie haussa les épaules

— Tu trouveras bien un prétexte ! Allez, Anna, on y va.

— Mais… protesta timidement Anna.

— Tu viens !

Mélanie l'attrapa par le bras et l'entraîna de force.

Dix minutes plus tard, Émilie s'approcha d'Amanda qui bavardait avec Tania et Olivia, ses camarades du dortoir des Chouettes des neiges. Le dos tourné à Émilie, elle se vantait une fois de plus.

— J'ai remporté des tas de compétitions chez moi. Si vous voyiez mes coupes ! Ma mère en a rempli une vitrine entière ! Malheureusement, ce n'est pas avec une débutante comme Émilie que je risque de gagner quoi que ce soit ! Elle est incapable de sauter sans tomber.

Émilie serra les dents et décida de faire comme si elle n'avait rien entendu.

— Ah, te voilà, Amanda! lui dit-elle d'une voix forte. Je te cherchais.

Amanda se retourna vers elle d'un air coupable.

— Tu ne voudrais pas venir au vestiaire avec moi? continua Émilie. J'aimerais qu'avant le cours de gym tu me montres quelques pas sur lesquels j'hésite. Et tu pourrais peut-être aussi en profiter pour m'expliquer les arabesques sans les patins aux pieds. Elles me posent vraiment de gros problèmes.

Amanda parut sur le point de refuser mais, finalement, elle fit signe que oui.

— Si tu insistes!

Elles partirent en direction du gymnase.

— Alors, c'est quoi ton problème avec les arabesques? s'enquit Amanda en chemin.

— Oh, je ne sais pas à quelle hauteur je dois lever la jambe, inventa Émilie. Tu les fais si bien, j'ai pensé que tu pourrais m'aider.

À peine entrée dans le vestiaire, Émilie pila net en voyant Mélanie et Anna allongées sur le dos sur les bancs, les yeux fermés. Elles se passaient des feutres autour des paupières.

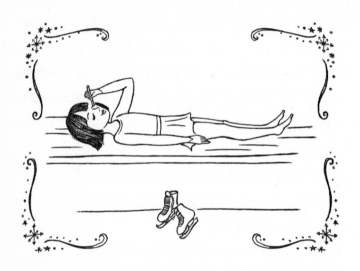

— Qu'est-ce que vous faites ? s'exclama Amanda.

— De la stylothérapie, répondit Mélanie en ouvrant les yeux. C'est une nouvelle forme de relaxation dont Mme Li m'a parlé pendant le repas. En passant le bout d'un stylo autour de l'œil sur ce qu'on appelle des points de pression, on se détend complètement. Il paraît que, dans ce pays, tout le monde utilise cette méthode avant de patiner parce que ça aide à se concentrer. Alors on a eu envie d'essayer avec Anna.

Amanda les regarda d'un air dubitatif.

— Tu devrais essayer, poursuivit Mélanie. Toi aussi, Émilie !

Au regard que lui lança Mélanie, Émilie comprit qu'elle avait intérêt à obéir.

— Bien sûr, répondit-elle en se demandant ce qu'elle manigançait.

— Et toi, Amanda ? insista Mélanie. Si ça te permet d'améliorer tes performances, qu'est-ce que tu risques ? Après tout, ça ne peut pas te faire de mal. Tu n'as rien à perdre.

— Tu as raison. Pourquoi pas !

Mélanie tendit un feutre à Émilie.

— Vérifie bien qu'il est bouché. Tu ne voudrais pas te barbouiller d'encre.

Émilie s'allongea sur un banc et commença à tracer des cercles autour de ses yeux.

— Comment tu te sens ? demanda Mélanie.

— Euh… ça va, répondit-elle d'une voix hésitante sans savoir où Mélanie voulait en venir.

Amanda s'allongea à son tour. Mélanie lui tendit un feutre bleu marine. Amanda le passa lentement autour de ses yeux.

— Continue, c'est bien, Amanda, l'encouragea Mélanie. Appuie fort.

Sentant que ses amies retenaient leur souffle, Émilie entrouvrit les paupières.

Le feutre avait beau être bouché, il laissait une épaisse trace bleue et deux grands cercles entouraient déjà les yeux d'Amanda. On aurait dit qu'elle s'était dessiné des lunettes !

Comment était-ce possible ? Le capuchon se trouvait sur le feutre ! Émilie adressa un regard

interrogateur à Mélanie qui avait bien du mal à
ne pas rire.

— Ça ne me fait rien, grommela Amanda.

— Si, si, je t'assure ! gloussa Mélanie. Mais
peut-être que tu n'es pas réceptive. Mme Li a
dit que ce n'était pas toujours efficace.

— C'est stupide ! grommela Amanda en se
levant et en reposant le feutre. Je vais m'échauffer.
Tu viens, Émilie ?

— Vas-y, je te rejoins.

Dès qu'Amanda referma la porte derrière, les
trois amies s'esclaffèrent de rire.

— Oh ! Mélanie ! Tu as vu sa tête ! dit Anna,
soufflée.

— Comment tu as fait ? s'enquit Émilie entre
deux hoquets.

— C'est facile ! J'ai juste passé le feutre sur le
capuchon et j'ai laissé sécher. Et l'encre a déteint
au contact de sa peau. C'est une blague que mon
frère m'a jouée il n'y a pas longtemps.

— On aurait dit une chouette! gloussa Anna.

— Attendez que les autres la voient! renchérit Mélanie.

Émilie se mordilla la lèvre.

— Non, il faut la prévenir, sinon tout le monde va se moquer d'elle.

— Justement, c'est le but! rétorqua Mélanie.

— Mais c'est méchant!

— Oh! Y a pire! En plus, elle le mérite. Ça lui apprendra à être odieuse avec toi.

— C'est vrai, elle l'a bien cherché! dit Anna.

Émilie secoua la tête. Elle voulait bien lui jouer un tour, mais tant que ça restait entre elles. Ce n'était pas la peine que les autres la voient comme ça.

— Non, je ne suis pas d'accord. Je vais la prévenir.

— Arrête! Tu vas tout gâcher.

— Tant pis.

— Émilie a raison, reconnut Anna à contrecœur. Il faut l'avertir.

— Vous n'êtes vraiment pas drôles ! bougonna Mélanie. Émilie, je t'en prie, laisse tomber !

Mais déjà Émilie ouvrait la porte en se demandant comment Amanda allait réagir.

— Quoi ! hurla Amanda. J'ai du stylo plein la figure ? Mélanie m'a joué un tour ?

— Mais c'était pour rire ! gémit Émilie en la voyant rentrer en trombe dans le vestiaire et se ruer vers les miroirs.

Mélanie jeta à Émilie un regard plein de reproches.

— Je n'arrive pas à croire que tu lui aies dit !

Amanda poussa un cri d'horreur en se voyant dans la glace.

— Écoute, ce n'est qu'une plaisanterie ! dit Anna, qui cherchait à dédramatiser.

Amanda plissa le front comme si elle cherchait une repartie, mais ne réussit qu'à pousser un « grr ! » rageur avant de se baisser sur le lavabo pour enlever fébrilement les marques de stylo avec de l'eau et du savon.

— Je te déteste, Mélanie ! lança-t-elle.

Et elle disparut dans le gymnase en claquant la porte derrière elle.

Mélanie dévisagea Émilie.

— Pourquoi tu lui as dit?

— Il le fallait! Mets-toi à sa place!

— Impossible! Moi, je ne passe pas mon temps à empoisonner les autres! rétorqua Mélanie avant de partir à son tour, furieuse.

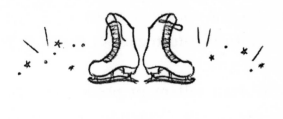

7

La crevasse

Amanda les ignora pendant le cours de gymnastique, puis pendant la leçon de ski de fond.
L'après-midi s'écoula dans une ambiance morose.
Mélanie ne parlait plus à Émilie ni à Mathilda.
Alice et Anna ne s'adressaient pratiquement plus
la parole, et Alice ne pensait qu'à Prince, les
yeux perdus dans le vague.

— Tu viens, Alice ? s'énerva Anna qui était

la capitaine d'une des deux équipes qui s'affron-
taient dans une course de relais.

Alice la fusilla du regard et gagna sa place à
grands pas.

Émilie était tellement préoccupée par leur
mésentente qu'elle n'entendit pas Camille l'ap-
peler.

— Mets-toi sur la ligne ! Tout de suite ! rugit
Camille, en lui donnant un coup de bâton dans
les jambes, apparemment ravie de cette occasion
de la bousculer.

Émilie ravala la réplique cinglante qui lui
venait aux lèvres et obéit. Elle se trouvait derrière Mélanie, qui, un bref instant, parut sur le
point de lui dire quelque chose de gentil. Mais
celle-ci dut se rappeler qu'elles étaient fâchées,
car elle détourna finalement les yeux.

À la fin du cours, Émilie ne voulait plus voir
personne. Elle s'esquiva pour aller chercher ses
patins, enfila un manteau bien chaud, des gants

et un bonnet, et sortit. Dès qu'elle respira l'air glacé qui balayait la rivière, elle se sentit libérée d'un énorme poids. Étant donné l'ambiance détestable qui régnait à l'intérieur, c'était un réel soulagement pour elle de se retrouver seule dehors.

«J'espère qu'on va vite se réconcilier», se dit-elle tristement.

Gauche droite… gauche droite… Au fur et à mesure qu'elle avançait, le rythme régulier dissipait sa tension.

«Nous ne devrions pas nous disputer comme ça à cause d'une compétition. Nous aimons toutes le patinage, c'est la seule chose qui compte. Nous sommes stupides de nous battre.»

Elle sauta et atterrit à la perfection sur un pied. Quel bonheur de glisser ainsi sur la glace ! Dire que les seules à pouvoir comprendre ce qu'elle ressentait, c'étaient ses amies de l'Académie de Patinage magique. Quelles idiotes elles étaient de se chamailler pour une compétition ou une mauvaise plaisanterie !

Elle soupira. Elle aurait bien aimé leur faire partager son point de vue, mais elle n'avait guère de chance d'y parvenir !

Elle fit demi-tour. Alors qu'elle se rapprochait de l'école, elle aperçut d'autres patineuses isolées sur les rivières et sur le lac. Apparemment, elle n'était pas la seule à avoir eu envie de s'éclaircir les idées avant le dîner.

Elle remarqua ainsi Mélanie, Anna et Mathilda qui patinaient chacune de leur côté, et croisa Amanda juste avant de rentrer. Elle évita de la regarder, persuadée qu'elle était la dernière personne à souhaiter se réconcilier avec elle.

Pourtant à sa grande surprise, Amanda se précipita vers elle.

— Émilie? Je peux te parler?

Elle ne répondit pas et attendit d'un air las.

— Je… je voulais te remercier de m'avoir prévenue, tout à l'heure. Surtout que j'ai bien remarqué que Mélanie n'était pas d'accord.

Émilie en fut si troublée qu'elle manqua de tomber.

— Je serais morte de honte si les autres m'avaient vue comme ça, ajouta Amanda en rougissant.

— C'est pour ça que je t'ai avertie, répondit Émilie.

— C'était vraiment gentil de ta part, continua Amanda, les yeux rivés sur le sol. Je suis désolée de t'avoir harcelée. Je ne me rendais pas compte que j'étais méchante. C'est tellement important pour moi de gagner. (Elle se mordit la lèvre.) Je comprends que Mélanie ait voulu me donner une leçon. J'ai vraiment été horrible avec toi, hein ?

— Oui, un peu, répondit Émilie, qui commençait à la trouver presque sympathique. Enfin, ce n'est pas grave. C'est normal que tu veuilles gagner. Moi aussi, j'aime ça. Mais il ne faut pas que ça tourne à l'obsession. Nous devons aussi nous amuser et faire en sorte que…

Elle s'arrêta en voyant une fille s'aventurer sur la rivière qui leur était interdite.

— Où elle va?

Amanda suivit son regard et aperçut une silhouette qui semblait scruter la rive.

— Je crois que c'est Alice!

— Oui, c'est elle. Je parie qu'elle cherche Prince. Mais il ne faut pas qu'elle aille par là. Mme Excelle nous a dit qu'il y avait une crevasse.

— Il faut l'arrêter!

Elles se précipitèrent vers la dangereuse rivière alors qu'Alice disparaissait derrière un virage. Quand elles passèrent le tournant, elles la virent loin devant elles qui avançait en scrutant les buissons. Émilie poussa un cri. Une large crevasse s'ouvrait dans la glace, mais Alice était bien trop absorbée par ses recherches pour remarquer quoi que ce soit.

— Alice! hurla-t-elle. Attention!

Au même moment un craquement sinistre retentit et la faille s'agrandit.

Surprise, Alice tomba en poussant un cri. Un bref instant, Émilie crut qu'elle avait évité le pire, mais la crevasse continua à s'ouvrir comme si elle était écartée par des mains invisibles.

Non ! Elles n'étaient pas invisibles ! constata Émilie avec horreur. Deux pattes poilues agrippaient les bords de la faille pour l'élargir. Et avec un grondement féroce, une créature qui ressemblait à un ours polaire géant jaillit de l'eau!

— Oh, non! gémit Émilie. Un monstre des glaces!

8

Travail d'équipe

La créature, qui ressemblait parfaitement aux photos de monstres que leur avait montrées Mme Langlois, se hissa hors de l'eau tandis qu'Alice basculait dans la crevasse en hurlant.

Amanda poussa un cri d'épouvante.

Émilie réagit aussitôt.

— Cours chercher de l'aide! Dépêche-toi! ajouta-t-elle en voyant qu'elle ne bougeait pas.

Amanda pivota et repartit vers l'école en pati-
nant à toute vitesse pendant qu'Émilie se préci-
pitait vers le trou dans lequel Alice se débattait.

Émilie n'avait qu'une idée, la tirer de là. Mais
la glace craqua sous son poids. Vite, elle se jeta
à plat ventre sans s'occuper du monstre blanc
qui escaladait la rive, tout dégoulinant d'eau. Si
elle se dépêchait de sortir Alice de là, peut-être
auraient-elles le temps de s'enfuir avant qu'il ne

les attaque. Elle s'approcha le plus possible du bord et s'étira vers son amie.

— Alice! Attrape ma main!

— Au secours! hurla Alice en essayant vainement de saisir ses doigts.

Le monstre rugit et se redressa comme s'il allait sauter dans la rivière.

— Non! glapit Émilie.

— Ne t'inquiète pas! hurla Alice. Il est…

Sa voix fut couverte par des cris. Émilie se retourna et vit Mélanie, Anna et Mathilda qui patinaient vers elles tout en jetant des bâtons sur l'ours qui recula en grondant.

— Laisse-les tranquilles! Va-t'en! hurlaient-elles.

— Attention! Ne venez pas là, la glace est trop fine! leur cria Émilie.

— Ne t'inquiète pas!

— On va vous aider!

— Tenez bon!

Mélanie se jeta à plat ventre, rampa jusqu'à Émilie et lui attrapa les pieds.

Anna se coucha derrière Mélanie et saisit ses pieds à son tour. La chaîne qu'elles formaient permit à Émilie de s'étirer encore. Pendant ce temps, Mathilda ramassait d'autres bâtons pour tenir l'ours à l'écart.

— Ne lui fais pas de mal! la supplia Alice, qui claquait des dents, le visage livide.

— Alice! Accroche-toi! cria Émilie en lui tendant les mains.

Alice essaya vainement de les attraper et retomba dans l'eau. Émilie voulut se rapprocher davantage, mais la glace craqua et elle dut reculer.

Mathilda, Anna et Mélanie poussèrent un cri d'horreur en voyant le monstre se dresser sur ses pattes et plonger dans la rivière. Anna et Mélanie se joignirent à Émilie pour tenter frénétiquement de saisir les mains d'Alice.

«Il va l'attraper!» songea-t-elle.

En effet, l'ours disparut sous l'eau, puis remonta avec Alice entre les pattes.

— Il… il la sauve! s'écria Anna alors qu'Alice s'accrochait désespérément à sa fourrure.

L'animal nagea jusqu'à la rive, se hissa sur la terre ferme et laissa Alice glisser sur le sol. Elle était trempée jusqu'aux os et tremblait de tous ses membres.

— Mer… merci! bredouilla-t-elle.

Les autres filles regardèrent bouche bée l'énorme animal s'asseoir à côté d'elle et lui lécher le visage d'une grosse langue rose. Alice le caressa comme si c'était un chien.

— Il est gentil, expliqua-t-elle devant leur étonnement. Comme tous les monstres des glaces. Mme Langlois nous l'a bien dit. Vous ne vous souvenez pas?

— Nous avons cru que tu courais un terrible danger, répondit Mélanie, toujours sur ses gardes.

— Oui, mais p… pas à cause de lui, répondit Alice, qui commençait à claquer des dents. J'ai bien failli me… me noyer. Merci d'être venues à mon se… secours.

— Dès que nous avons entendu vos cris, on s'est précipitées, expliqua Mathilda, en se mettant à caresser le monstre à son tour.

L'ours la regarda de ses yeux noirs et se mit à ronronner comme un chat.

— Mais qu'est-ce que tu es allée faire sur cette rivière ? s'étonna Anna.

— J'ai p... pensé que P... Prince était peut-être pa... par là. Je... je me faisais tellement de souci p... pour lui que j'ai complètement oublié la... la crevasse.

— Heureusement que tout se termine bien ! s'exclama Émilie en la serrant dans ses bras.

— V... vous avez vr... vraiment été cou... courageuses, hoqueta Alice qui grelottait de plus belle.

— Tu aurais fait la même chose pour nous, répondit Mathilda.

Émilie secoua la tête alors que lui revenaient ses réflexions avant l'accident.

— Qu'est-ce qu'on a été nulles de se disputer ! Bien sûr, la compétition est importante, mais notre amitié passe avant. On n'aurait jamais dû se fâcher.

— Tu as raison, acquiesça Anna. Oh, Alice, on a eu tellement peur quand on t'a vue dans le trou ! Je suis désolée de m'être énervée contre toi parce que tu ne t'entraînais pas assez.

— M… moi aussi, je suis désolée. J'aurais dû prendre cette compétition p… plus au sérieux, répondit Alice.

Mélanie se tourna vers Mathilda.

— Moi aussi, je te demande pardon.

— Je n'ai pas été bien non plus, répondit-elle.

Anna se tourna vers Émilie.

— Tu es la seule d'entre nous à avoir de bonnes raisons d'en vouloir à ta partenaire, Émilie, et pourtant tu ne t'es pas disputée avec elle, remarqua-t-elle.

— Au fait, où est-elle passée ? s'inquiéta Alice. Amanda était avec toi quand je suis tombée dans la crevasse.

— Elle ne s'est tout de même pas enfuie ? s'exclama Mélanie, outrée.

— Non, elle est partie chercher de l'aide. Elle n'est pas méchante, ajouta Émilie en se souvenant qu'elle s'était excusée. Enfin, pas tout le temps. Elle va revenir. Alors ? On est de nouveau amies ? demanda-t-elle en les dévisageant l'une après l'autre.

— Bien sûr! répondirent-elles à l'unisson.

— Et si on organisait quelque chose ce soir pour fêter ça? proposa Mélanie. Qu'est-ce que vous diriez d'une bataille de polochons?

— C'est une excellente idée! dit Mathilda.

Mélanie se frotta les bras.

— Vous ne trouvez pas qu'il fait froid? Si on rentrait se réchauffer?

Au même moment, elles virent Amanda foncer vers elles en compagnie de Mme Excelle et de Mme Li, chargées d'un tas de couvertures.

— Que s'est-il passé? demanda Mme Excelle

en voyant le monstre des glaces assis à côté d'Alice.

Les filles s'empressèrent de tout lui raconter.

Mme Excelle se tourna vers l'ours pour le remercier. Il poussa un petit grondement amical et donna un coup de museau sur la tête d'Alice. Puis il redescendit dans la rivière et disparut sous la glace.

Pendant ce temps Mme Li avait enveloppé Alice dans une couverture.

— Il faut vite rentrer te réchauffer et te sécher !

Alors qu'Alice se mettait debout, un frémissement agita les buissons et une petite tête blanche apparut.

— C'est Prince ! jubila-t-elle.

Émilie courut le prendre dans ses bras. Il se tortilla pour lui donner un coup de langue sur le nez.

— Décidément tout est bien qui finit bien, déclara Mme Excelle avec un grand sourire.

— Je t'ai eue !
— Non, c'est moi qui t'ai eue !
Émilie avait évité l'oreiller que lui envoyait Mélanie, mais Mathilda en avait profité pour abattre le sien sur sa tête. Elles s'écroulèrent sur le lit en riant, épuisées.

Émilie était heureuse. Elles s'étaient toutes réconciliées. Mathilda et Mélanie s'étaient promis de faire des efforts. À présent que Prince était retrouvé, Alice, rassurée, semblait bien décidée à s'entraîner sérieusement. Même Amanda n'était plus la même. Après le dîner, elle avait gentiment proposé à Émilie d'ajouter quelques sauts à son numéro.

«Plus que deux jours avant la compétition», songea Émilie. Qui allait la remporter ? Elle avait hâte de le savoir !

9

La compétition

Elles ne virent pas passer les deux jours suivants. Le dimanche matin, toutes les filles découvrirent à leur réveil, au pied de leur lit, un superbe costume confectionné par les Fées du givre.

— Waouh, qu'il est beau! s'écria Anna en montrant le sien, qui se composait d'une tunique noir et argent, d'une cape et d'un chapeau de magicien.

— Et le mien, il n'est pas magnifique ? demanda Alice en brandissant un costume de poupée ancienne.

Mélanie et Mathilda interprétaient l'histoire de deux enfants qui dégringolaient une pente avec un seau d'eau, et elles avaient des tenues sorties tout droit d'un livre de comptines : une robe rayée courte à manches bouffantes pour Mathilda et, pour Mélanie, un pantalon de golf, un gilet et une chemise rayée assortie à la robe.

Émilie adorait son habit de prince, composé d'un justaucorps noir, d'une tunique assortie, brodée de fils d'or, et d'une cape lamée.

Après le petit déjeuner, elles répétèrent une dernière fois en costume sur la glace puis, à 11 heures, la compétition commença.

Elles étaient toutes splendides à voir. Isa et Zoé, du dortoir des Chouettes des neiges, présentèrent un numéro fantastique qui racontait l'histoire du vilain petit canard. On le voyait, elles avaient beaucoup travaillé, leurs mouvements étaient coordonnés à la perfection et aucune ne commit d'erreur. Leur enchaînement était simple, mais très réussi.

En revanche, Camille et Olivia avaient élaboré des mouvements très compliqués et tape-à-l'œil sur le thème de la Belle au bois dormant. Hélas, elles n'étaient pas synchronisées et, à sa grande fureur, Camille fit une chute.

Émilie se retint de sourire en les voyant quitter la piste sous des applaudissements limités.

Le numéro d'Anna et d'Alice en magicien et en poupée se déroula très bien jusqu'au moment où Alice eut un trou de mémoire et se mit à tourner en rond. Cela ne parut pas la perturber, car elle quitta la piste avec un grand sourire aux lèvres et Anna aussi.

L'interprétation de Mélanie et de Mathilda débordait d'énergie ; malheureusement, on avait l'impression qu'elles dansaient chacune de leur côté. Ce qui n'empêcha pas l'assistance d'éclater de rire en voyant Mélanie faire semblant de tomber avec le seau, puis se redresser pour le retourner sur la tête de Mathilda. C'était vraiment le numéro le plus drôle.

— C'est bientôt à nous, dit Amanda à Émilie quand Hélène et Léa quittèrent la glace.

Émilie hocha la tête, l'estomac serré par le trac. Il ne leur restait plus qu'à patiner de leur mieux.

Et c'est ce qu'elles firent. Amanda était magnifique dans son costume en plumes blanches. Elle virevolta et tourbillonna devant Émilie, qui joua de son mieux le prince amoureux. Elle réussit ses quatre sauts à la perfection. Cependant, elle ne pensait pas qu'elles allaient gagner. Le numéro d'Isa et de Zoé était bien meilleur que le leur. Mais elle était ravie d'avoir patiné une nouvelle fois devant tout le monde.

— C'était génial, non ? dit-elle à Amanda.

— Oui, vraiment. Je suis prête à recommencer !

Ce fut le tour du dernier couple, puis arriva le moment de connaître le résultat.

Mme Excelle s'avança sur la glace, deux superbes paires de patins violets à la main.

— Vous avez toutes très bien patiné. Cependant cette compétition avait pour but de montrer votre aptitude à travailler à deux et un des couples s'est particulièrement distingué : Isa et

Zoé. Vous vous êtes bien entendues tout au long de la semaine et cela s'est vu. Félicitations, mesdemoiselles !

Tout le monde applaudit tandis qu'Isa et Zoé s'avançaient pour prendre les ravissants patins violets. Isa reçut sa paire en rougissant comme une tomate, mais les deux gagnantes rayonnaient de joie. Émilie était contente pour elles. Elles le méritaient vraiment.

— À présent, reprit Mme Excelle dès qu'elles furent reparties, avant de nous quitter, je tiens à rendre hommage à une autre fantastique démonstration d'esprit d'équipe. Vous savez toutes, je pense, qu'Alice est tombée dans la rivière il y a deux jours. Et je voudrais dire un grand bravo à toutes celles qui ont fait preuve d'un grand courage en participant à son sauvetage : Émilie, Anna, Mélanie, Mathilda et Amanda. Vous n'avez peut-être pas gagné la compétition aujourd'hui, mais vous pouvez être fières de vous.

Émilie et les quatre autres filles échangèrent
un sourire ravi tandis que leurs camarades les
applaudissaient.

— Le reste de la journée est à vous, annonça
la directrice. Demain commencera une nouvelle
semaine avec la préparation de notre prochaine

rencontre. J'espère que vous avez bien écouté les cours de Mme Langlois, car vous allez partir à la découverte de notre pays.

— Waouh ! C'est génial ! chuchota Anna.

Émilie opina, ravie.

— Finalement, aucune d'entre nous n'a gagné, soupira Mélanie quand elles se retrouvèrent dans le foyer, un peu plus tard.

— Non, répondit Émilie avec un grand sourire ; mais tu sais quoi ? Ça m'est égal !

— Moi aussi ! déclara Mélanie. Je suis surtout contente qu'on soit de nouveau amies.

— Moi aussi, acquiesça Anna. C'est beaucoup plus important que de gagner.

Mathilda et Alice s'approchèrent.

— Vous avez des projets ? demanda Mathilda. On est libres jusqu'au dîner.

— Je sais ! s'écria Émilie. Si on prenait les luges ?

— On pourrait faire la course ! proposa Mélanie.

— Et une bataille de boules de neige, ajouta Mathilda en glissant son bras sous le sien.

— C'est parti ! conclut Anna.

— Je peux venir ? demanda Amanda d'une voix presque timide, pour une fois.

— Bien sûr ! répondit Émilie avec un large sourire.

Un quart d'heure plus tard, les six filles s'alignaient au sommet de la pente.

— Bon, écoutez-moi bien, dit Mélanie. Une fois en bas, vous devez courir autour du gros arbre, faire une roulade avant et remonter sur votre luge. La première assise a gagné. D'accord?

— D'accord! répondirent-elles à l'unisson.

Émilie inspira une grande bouffée d'air glacial et vivifiant. Le soleil brillait d'une lueur pâle, la neige s'étendait devant elles telle une épaisse couverture blanche. Elle contempla l'école et la joie l'envahit. Elles découvraient tant de choses passionnantes en plus du patin!

«Et il nous reste encore tant à apprendre, songea-t-elle. Nous ne savons toujours pas ce que devra faire la princesse des Glaces ni comment elle sera choisie.»

Elle poussa un cri en recevant une boule de neige. Elle se retourna et s'aperçut que ses amies s'étaient assises sur leur luge et l'attendaient.

— Tu veux bien arrêter de rêvasser ? gloussa Mélanie.

Émilie s'assit en riant.

— Trois, deux, un… partez ! cria Mélanie et les six filles se jetèrent dans la pente en poussant des cris de joie.

Cet ouvrage a été imprimé
par

FIRMIN-DIDOT

27650 Mesnil–sur–l'Estrée
N° d'impression : 109411
Dépôt légal : mars 2012

Imprimé en France

Cet ouvrage a été composé par
PCA - 44400 REZÉ

12, avenue d'Italie
75627 PARIS Cedex 13